TROCH KADASTRALE FJILDEN

Oar wurk fan Durk van der Ploeg

Under de Seespegel [ferhalen]
Foarby it Boarkumer fjoer [roman]
De Sniewinter [novelle]

DURK VAN DER PLOEG

TROCH KADASTRALE FJILDEN

Gedichten

FRIESE PERS BOEKERIJ

Dit boek
waard útjûn
mei stipe fan it
Nederlands Literair
Productie en Vertalingen
Fonds te Amsterdam.

ISBN 90 330 1176 X / CIP. NUR 306

www.friesepersboekerij.nl

MOTTO*

'Hela, hoeder fan keppels,
Dêr oan 'e kant fan 'e wei,
Wat seit dy de wyn dy't waait?'

'Dat er de wyn is en dat er waait,
En dat er hjir earder waaid hat,
En dat er hjir wer waaie sil.
En dy, wat sei er dy?'

'My seit er folle mear.
My sprekt er fan alderlei dingen.
Fan oantinkens en langsten
En fan dingen dy't noait west ha.'

'Do hast de wyn noait waaien heard.
De wyn sprekt inkel fan wyn.
Watsto him sizzen heardest wie in leagen,
En de leagen is yn dy.'

ALBERTO CAEIRO

Heteronym foar Fernando Pessoa

*) Troch de auteur yn it Frysk oerbrocht neffens de Nederlânske oersetting fan August Willemsen út it Portugeesk

Foar Afke en de bern

I

DE LANMJITTER

IT EFTERLAN

I

De deis dat wy tochten dat it better wurde soe.
(Sûnt wy de spegels urven en de portretten fan
De njoggentjinde ieu, sûnt de grêfrjochten op ús
Oergyngen, tochten wy dat it better wurde soe.)
En de dagen dêroan doe't it lot, dat
Us bewarre foar nijmoadrigens, tasloech
Tochten wy frij te wêzen fan ússels.

Wy diene gjin kar om't eagen fan deaden lykwicht
Sochten yn ús twivel. Erfstikken sprieken yn
Metafoaren fan djip wetter en âlde wierheden.
Wy wisten ús takomst net. Wy ferklearren har mei
Dwaze ideeën. Ta beskerming sloegen wy dy winters
Mei in roastige neil in hoefizer boppe de doar.
En doe't it teiwaar fan it tek lekte, wy sliepten.

Ommers, wy hiene it fjoer en de beskaving.
Us izer wie smeid en wette. De ierde, dy
Fruchtbere mem, droech ús. Hoe prachtich groeide
It wetter yn de bêdingen. Wy wiene fan ússels.
Wat wy woene wie behâld. Sillich wie wat wy
Sillich priizgen. Neat mocht oan ús hannen
Untfalle of it moast falle yn Gods hân.

II

Behurde yn kjeld en swijen fierden wy moarns
Betiid de doarren iepen nei wiffe seeën dy't
De leechte dutsen mei it griis fan novimber.
It klaailân klibbe oan 'e himel as de tonge
Oan it ferwurf fan in deade. Wy joegen ús ôf,
Heal see, heal lân peatsken wy nei kjeldige
Kimen. Us azem soldearre in izich ljocht.

Leafde lieten wy bewinterje yn djippe kelders.
Wat yn ús each wjerspegele, grûne yn ús dream.
Ferdronken dwaalden wy troch drek en dridze en
Lieten it lof baarnend efter ta in lofoffer dêr't it
Dweste yn reek. Mei in baalsek oer de ferreinde
Rêgen en in ûnthâld as it Ealsumer tsjerkhôf,
Kamen wy thús, it ark opstutsen as neakene mêsten.

Wy, erfgenamten fan portretten yn kâlde keamers,
Seagen jûns stjerrebylden yn it noarden strieljen.
Wy sleaten de fâldblinen en fertelden as
Trochfuorre lakeien fan ús hearetsjinsten.
Wy, dy't bewilligen yn antwurden dêr't gjin
Fragen steld wiene en knikten dêr't nee
Skodde wurde moast; wy hiene ús hûnger útlevere.

III

It wie yn 'e hjerst doe't wy lûklam
Mei de blabberslide út it fjild kamen.
De stringen snarestiif, de beage yn it
Beswitte boarst fan it hynder teknypt.
Ate fan Keie-Tryn, wat wie dêr al in salve
Oan fergriemd, stie laitsjend op it hiem
As moast er ús in wûnder opdisse.

Wy leauden allinne de skriftuerlike
Wûnders en de djipten fan eigen wetters
Hiene ús ûntsach. Ate, grutsk as in
Trijebotsense hoanne, fertoande mobile
Keunsten, krêft fan bewegend stiel dat
Unferklearber as de útfining fan it nije
Ljocht ús twivel ûnfruchtber makke.

Doe't it foarútgongsleauwe ús domme
Ferstân oantaaste en de ynlike jeften fan
Bidden en bealgjen ferrinnewearre, it
Raasde oer Akke-set en de planken fan de
Hylkes-froulju. Unferskillich nukten wy
It ark yn 'e blabber en seagen dat ús
wrakseljen in ferlerne efterstân ynhelle.

IT YNDERLIKE HUS

I

Wy kamen net, wy wiene. Oeral dêr't ús
Hannen wiisden hearske ús each as it each
Fan rôffûgels. Us utopy wie lykas de kime
Unberikber, mar yn ús ferhalen palmen wy
Linen yn langer as it ljocht. Dêr't wy ús
Hert wisten, wisten wy it lok te finen
Dat ús wapene tsjin nacht en iensumens.

Wy hiene it noarden en de waadkant
Dêr't fûgels weareldseinen fuortsylden
Tsjin bleke loften. By ôfgeand wetter
Stieken wy bot yn 't slyk. As wy foar
Skol en harder ús simmerjûns út 'e kust
Joegen nei prielen en platen wy sloegen
Acht op moanne, stjerren en tijstream.

Thús by ússels wiene wy fan ússels.
Wy wiene ús eigen stim. It ûnwisse fan
Miswier en twibrek hâlde ús byinoar.
Stiek der in stoarm op, it wie uzes.
Fielden wy de hân fan God, yn Him wisten
Wy ús wil rjochtfeardige. Der wie neat
Makke dat net foar ús makke wie.

II

Wat ha wy grutte dagen hân, doe't wy de hynders
Under it sadel brochten en de kust delgyngen
Om swypkjend te hearskjen oer ús grutskens.
Besit? Hiene wy besit? Wy wiene ryk en fan ússels.
Lykas it wurd har wierheid en leagen taeigenet
Sa eigenen wy ús ússels ta. Wy jagen de hûnen wol
Oant safier wy sicht hiene en wy ús grinzen tochten.

Wie ús rispjen muoite en fertriet, om wis
Te wêzen dat it wurk fan ús hannen net
Ferlern gean soe yn it ûnwisse fan oere
En tiid, stribben wy nei fruchtberens
En gâns fermearderingen fan de dingen.
Wy leauden yn de dingen om eat wêze
Te litten dat bliuwend wie oant nei de dea.

Wy hiene oars gjin begearen as fan ússels te
Wêzen. Wy huveren foar frjemd en wat oars wie.
Alles wie fan ús. Alles dêr't ús each op foel
Hechte oan ús en woe by ús wêze. Ek wat net
Fan ús wie it wie uzes. Wy wiene yn ússels en
Fan ússels. Us wegen omleech wiene ús wegen
Omheech. De wei hinne wie de wei werom.

III

Wy hiene de ierde, ús klokslach, it skrale
Gewin. Jûns it bleke ljocht yn lege keamers,
It glêde porslein, de geit dy't winterdeis
Kichte yn 't hok. Safier't ús each it rikke
Koe wie de see uzes. Hymjend stiene wy op 'e
Kranken fan 'e Batavus tsjin beloop en wyn.
Lykas falfruchten wiene wy wis fan in grêf.

Us leafde krolle sûnder wurden as riemen it
Wetter. It lege rút op it noarden hâlde ús
Tinzen fêst. As wy fan hûs gyngen, wy gyngen
Om thús te kommen en tochten oan de skaden
Dy't wy as figuranten efterlieten op it bedsket
By de froulju. Gedachten oan thús treasten
Us langsten. Lok rjochtfeardige it libben.

Nea thúskommen út it ûnbekende, stiene
Wy feilich efter ús fredings op 'e rânen
Fan ús wrâld, dêr't snelwegen ôfbûge nei
Fierten dy't nearne weromkeare fan fierten
Dy't troch ferfrjemding fan witten en
Unthâld dearinne yn tichtsleine atlassen.
En wy, wy seagen dat it goed wie.

OARLOCHSWINTER

I

Doe't op in suïsidale winternacht de hûnen
Tekear gyngen en wy de pipen kâld wurde lieten.
Doe't de froulju by ute kachel en ljochtmoanne
Tafelsulver skjirren oant it blonk as de brâning
Boppe it Rif. Doe't wy fan it galgemiel preauwen,
Bang dat wy it oerlibje soene, seagen wy in
Tou fan de balke hingjen as waard it ús beskikt.

Wer toande de minske syn âlde natuer. Op dy nacht
Gyngen ús lampen út. Gesichten ferskronfelen yn it
Tsjuster ta maskers. Swit befrear dy nachts oan 'e
Souderbalken en eangst grypte ús by de kiel doe't se
Kamen oer skierroeksiis. Hûnen blaffend foarop oer
Braaklizzend lân en soldaten dy't nei wapens grypten
En ien fan uzen bûge moast foar genedeleas fjoer.

Berjocht fan hegerhân, skreaun mei beblette hannen.
Yn it tsjuster stiene wy. Wy hiene it lân bewarre en it
Wetter bêde. Te diveker, wy wiene fan ússels en groeiden
Nei dieden dy't bûten ús stiene. Wy, dy't in aliby sochten
Foar de jongste dei, wy hearden it tij opkommen. Tiid
Om út te farren. Ferbline taasten wy yn it tsjuster nei it
Ljochtknopke. Us hân, tekoart, rikte fier yn de urven ieu.

II

Wy moasten – mienden wy – ús takomst feroarje.
As wy omseagen nei de tocht fan it ferline
It wie net ús wil dat spoar fuort te setten.
Us begjin en ein wiene ien en itselde. Lykas
Stjerren fan ljochtjierren earder ús nij yn 'e
Eagen blonken, kaam it ferline ús stapfoets
Efterop as ebbe en floed tusken de etmels.

Eangst? Hiene wy eangst foar wat wy net beneame
Koene? Offers waarden fan ús frege. Wêr kamen
Wy wei, dat wy ússels trochgrûnje mochten?
Wy wisten fan djipten en wat dêryn groeide.
Mar yn it donker waard it donker noch djipper.
It bern waard yn syn ferhalen begroeven om
It hert werom te bringen ta de foarâlden.

It deapunt bewoartele, hie alles syn tiid en plak.
It ûnfergonklike koene wy net skiede fan it
Fergonklike. Doe't it lot ús efterop kaam en
Immen út ús fermidden weirekke sochten wy
Gjin treast yn wat foar ús wie. Utsicht op it
Takommende lei yn ús ferline ferankere troch
Belidenissen en Treast fan de Skriften.

III

De deis dat wy it ark yn 'e ierde stieken
En fan ús terpen kamen om it Noarderlân
Te ferlitten, bewâden wy in paad nei de romte
Fan in krusing. Wy moasten in kar meitsje út
Wat ús bekend foarkaam en wat wy net koene.
Fierten wiene yn ús eagen ûnberikber om't
Wysels ûnberikber wiene foar fierten.

Wy wiene dy't wy wiene en sochten, doe't
Wy it lân de rêch takearden en om ús hinne
Seagen lykas Argus die – betrouwende wat
Net te betrouwen wie –, ús wjerspegeling yn
It wetter. Dêr't wy kamen wy kamen mei
Fjoer en mes. Dêr't it bloed floeide wûn ús
De hertslach oan fan hûnger en begearte.

Elk tocht dat wy lykas de Kimbren út de
Skiednis ferdwûn wiene. Sa't sân dochters
Fan Atlas yn dowen feroaren en as stjerrebylden
De himel befolken, sa befolken wy de leechten
By de see. Sochten oer droege rêgen de wegen
Dy't nei de stêden gyngen en seagen hoe't de
Wjerljocht ús op klearljochte dei ferbline.

IT PUNT FAN ARCHIMEDES

I

Yn de stêd wurdst in ienling. Foar wa't syn skippen
Ferbaarnd hat en kaai en slot ferlitten, is de wil ta
Winnen in frjemde wil. Yn myn dreamen seach ik
Fan it Hantumer Hûndert oer see en befear ik de
Wierumer Grûnen. Steande op it deapunt fan in
Meallende wrâld sei ik Archimedes nei: *Jou my*
in plak dêr't ik stean kin, en ik beweech de ierde.

Sa makke ik in tsjel en noch ien om in wein te
Bouwen. Sels waard ik it hynder dat ûngeduldich
De krêben befriet. Om net op oarmans klink te
Rinnen woe ik witte, socht ham ham bernegading.
Ik jage op kâlde fisk om te oerlibjen en sliepte
Yn rottekleasters om te ferfrjemdzjen fan wat
De dream my ynjoech as de bergen fan Arkadië.

It wiene de fjouwer eleminten dy't my de wrâld
Oer brochten. De dragende ierde, de driuw fan
It wetter, in triuwende wyn en it fjoer dat lokke
Nei frjemde lânaard om it Archimedysk punt
Te finen. Leit it lok faaks tusken twa holkjessens,
Ik bewenne fuotteneinen en socht yn it djipst fan
Myn begearen neite en ferfal yn ferwrotten bêden.

II

Ik stie op Long Island nei Atlantysk lân te sjen. Alles
Nahe werde fern. Dreamen hiene it fan my wûn, en de
States iepenlein, lykas wûnen iepenlizze en stadich hielje,
Doe't troch ljochtfal it Frijheidsbyld eksplodearre. Mei
Myn stomme harsens brocht ik bewûndering ûnder wurden
Doe't ik in aansicht nei hûs stjoerde mei it Empire State
Building by nacht, eardat in hel fan aventoer my opnaam.

Nachts folge ik de moanne, dy't ik de groeten meijoech
Nei oare nachten, stilsteand boppe de Ealsumer terp, it
Stienfek en it oandachtige wetter fan de Peazens, dêr't
Gedachten heakken oan bylden dy't ik net ferjitte koe.
Om't der in man stie dy't, lykas de hûn fan Odysseus,
My nei safolle jierren werom koe, moast ik gûle yn
Myn dream, want it libben sliet as stiel op in sânstien.

Doe't nei oerenlang railritme it treppensljocht my yn de
Eagen skynde en ik stimmen hearde út it Efterlân, waard ik
Wekker yn in âlde treinwagon op it stasjon fan Denver. Mei
Gary Snyders *Riprap and Cold Mountain Poems* reizge ik
Nei de Westkust. Ik lies, dat er yn it skaad fan steile rotsen ta
Himsels kaam. Ta it echte wurk, ta 'Wat moat der dien wurde.'
De dichter dy't út in tinnen kroes kâld sniewetter dronk.

III

Yn in libben sêd fan dagen kroep en kromp ik as in hûn dy't
Ierde friet, en kappe my troch de wâlden fan Coast Range in
Paad nei de Grutte Oseaan. Mei in Greyhound woe ik Amearika
Ta myn lân meitsje en daalde ôf yn it griene tsjuster fan
Har skachten. Oan myn ûnthâld skuort noch de dei dat ik
Dweiltrochwiet yn in houtseagerij kaam, dêr't troch in
Damp fan misdied en moraal in neger deaslein waard.

Yn 'e sigen fan saloondoarren dronk ik it kâldste bier nei't
Ik nachtenlang yn kelders kooks ried nei it fjoerplak, lykas
Faulkner die doe't er *As I Lay Dying* skreau. Dagenlang
Tûmele ik wenstich mei in kop fol Dongeradielen yn de
Switterige spylhoalen fan New Mexico. Wat dreau my nei
Dizze ôfgrûn? Sykjend nei The American Dream harke ik oan
De ierde nei woartels dêr't it kontinint oan bloeide en blette.

Allieardеn befrijden Europa. Wat liet my flechtsje foar de
Frede? Hie ik de drumbeat fan de Yankee heard? Woe ik
Mysels kenne of de wrâld? Of woe ik breedtegraden mjitte
En groeden sammelje foar myn deadskronyk. Of wie it de rop
Fan Walt Whitman: 'Meitsje de doarren los. Untslút de
Doarren fan de knieren!' Wat liet my skrieme yn it kjessen?
Wie dat it heine tinken of it fierôf wêzen? Wat bemeat ik?

DE DREAM

I

Oan de East River op Queensborough seach ik yn it
Kalkljocht fan brêgen de moarn opljochtsjen en it genot
Dat boartsjende pearen de himel fertoanden. Kondoom en
Kanker dreauwen foarby. Yndustrybloed hechte roastbrún
Oan de stiennen brekwâl fan Manhattan. Wyn blies as in
Balge ûnder it smidsfjoer fan New York. Liet ik my baarne
Yn de hel troch in misrekken fan Ptolemaeus ûntdutsen?

Fleantugen fan Newark Airport draaiden de Oseaan op.
Ik tocht oan thús, dêr't fûgels oer it Keechslân fleagen.
Yn it ile ljocht fan Upper Bay ferskynden roastige
Kwelders as fisioenen fan begear. Al dat wurge ljocht
Dat my beskynde, de swarte snie dy't treastend oer de
Eilannen jage. Ik woe de ierde mjitte mei myn kinnen
Mar kaam lykas Columbus oan in ferkearde kust telâne.

Tusken ús leit see dy't ienris noade ta it aventoer.
Wêr is myn útdaging bleaun en myn ferachting foar it
Efterlân? Moarn sil ik in seeman oanklampe. By need
Wol ik oer alle seeën sykje om in thús, want ik begryp de
Driuw net mear dêr't ik mei fan hûs gyng. Noait sil ik
Wer wurde dy't ik wie. Nea sil ik my wer hechtsje. Mei
Fern- und Heimweh brutsen tusken hjir en dêr en oeral.

II

Ik dy't, lykas Álvaro de Campos, it moderne libben
Leaf hie, flechte as in Jona. Ik soe neat leaver dwaan
As mei in sylskip oer âlde seeën farre om oan myn
Plicht te ûntkommen. O dy see! O dy see! Altyd fierôf
En oeral tichtby. Yn de haven fan Nantucket, dêrst de
Brakke wyn mei messen snije kinst, meunstere ik oan
By in kaptein dy't it evenbyld wie fan Melville's Ahab.

De see bruts woest op 'e kust doe't wy fan in flakte
Fan sânbanken by Madaket de oseaan op fearen en
Ik de sekuer beskreaune groede yn Ahabs gesicht
Bestudearre. Mei stellen fjoer stie ik nachts oan dek
En prate lûdop mei dy't my leaf wiene om my de
Eangst fan it liif te hâlden. De wrâld roek nei wetter.
Earne hie ik in thús. In donker ljocht yn it Efterlân.

It hat te krijen mei minsklike ferhâldingen, mei minsklik
Fielen as yn de Stille Oseaan in dronken matroas rûzje
Siket om in frommes en ik him tsjin it dek slach dat er
Foar dea lizzen bliuwt. De dea ferbjustert my. In dea
Dy't ik opproppen ha en altyd mei ús farre sil oer djippe
Oseanen. Yn frjemde havens wurd ik opbrocht, foarlaat
En feroardiele om in ferline te dragen dat ûndraachlik is.

III

De sel. De sinne komt op, de hel iepent syn doarren.
Troch gleone traaljes klimt de dei nei syn hichte.
Nachts falt it koele stroboskopyske ljocht fan de
Moanne op 'e flier en tink ik oan donkere fierten
Dy't my burgen as in wenstich bern. Hjir hearsket
Gjin werklikheid. Op myn brits tsjoent in yn 'e
werklikheid berne dream my it ferline as takomst.

As Robinson Crusoe sjoch ik op alle kimen seilen kommen
En weiwurden; sa eagje ik fiere skippen nei. Seilen dy't
De hoop ophelje en loom boljend yn in waarme wyn, dream
Ik fan reizen noait makke. Ik dream dat ik dreamde fan
Frijheid dy't mines net is. Ik dream dat ik mei in raai tusken
De tosken yn it gjers lis en kobben oer fiere kusten neieagje.
Myn frijheid huzet yn 't ûnthâld en kleuret kwelderkrûd.

De wrâld rûkt nei wetter dat floedich êbjend yn myn hert
Beweecht. Oer homeryske seeën bring ik myn dreamen
Thús en kom as Jona mei absurd berou nei hûs. Ald ljocht
Falt beskamme oer de takkels fan de blinen as ik op
Midjansdei weromkom mei myn âlde sûnden. Foar my
Bestiet gjin fierte mear. De fierte wie myn dream. Wat
my ferliet, ferlit my net. Sa bin 'k in frjemdling bleaun.

IT LAN FAN DE DEADEN

I

Yn 'e winter fan it libben bisto ferstoarn, en ik
Bin weromkommen om dyn lichem ûnder klok-
En seeslach op Achter Terpen te beïerdigjen.
Noardoan riist in grize bou út see. Ljocht fan
Fallende stjerren tekent de earnst fan de dagen
Dy't komme. Fan 'e moarn is de deagraver begûn
Oan in grêf op fiif fiem. Sykjend djipte en fal.

Wat moat ik dwaan noosto yn frede rutsen myn
Groet net beäntwurdest? Gjin wurd fan ferwyt of
Ferwar komt mear tusken ús ta taal. Sûnt ik
Mei dy yn nacht en winterwjerljocht stie is der
Gjin warskôger mear dy't myn ûnthâld havenet.
It sânglês is keard, en ik stean mei ynhâlden siken
Foar de deadewacht as my dyn harnas ûntfalt.

Do, dy't my kear op kear it skip mei oranje seilen
Tasei, leist brutsen yn myn takomst. Neat sil mear
Hielje yn de fierten dy't komme. Allinne út it ferline
Sil ik my yn 't sin bringe hoest as in dronken skip
Hieltyd wer de kust foar eefkes loslietst, op riffen
Stomptest, mar nea weromkeart fan de ôffeart
Nei it eilân dat ik sykje en fine sil yn myn dea tij.

II

Fan wat ik seach, ik sjoch it wer en it is fan my as
Fan ferlern weromfûn. As ik de nammen neam en
Dream fan wat ik my tebinnenbring – roken fan kule
En klam hea dat om 'e bûthúsdoar rottet –, daagje
Der slikige gesichten dy't skeetsk glimkjend om wat
Us bûn oan fyt en kulle dêr't wy fnit mei hiene. It
Libben tilt in libben lang in wyldernis fan spegels.

Fan ûnbekende oarsprong socht ik as in dronken
Lânmjitter fêstichheid en leger en bemeat – alhiel
De tried kwyt – op histoaryske koördinaten ynslike
Galen yn it lân. Wêr wiene jim dy't hjir de kluten
Reagen en bûgden yn 'e rein? Wêrom hearde ik jim
Net roppen yn de taal dy't wy mienskiplik hiene?
Of falt myn kommen gear mei brek fan wurd en sike?

No't ik werom bin draach ik it ferline sa't it libbet
Yn de geunst fan myn ferline. Briek ik de bannen,
Us taal is ienderlei. Wie it net fanwegens de taal dat
Ik jim weromfûn ha? Lit my in spâlder wêze. By alles
Wat ik der trochbrocht ha bin ik jim nea fergetten.
Ik, dy't in bidler waard fan mysels, ha altyd jim taal
Sprutsen yn de oere dat ik ferhûneloarte efterbleau.

III

Wa binne jim dy't myn ûnthâld befolkje mei damp
Yn 'e wynbrauwen? Wat is der fan jim wurden?
Ik gyng nei it tsjerkhôf as moetingsplak. Ik moete
Stiennen en sarken en begroete fantomen waans
Keunsten en kluchten my net fergetten binne. Jim
Laitsjen woe net stil yn my wurde, doe't ik jim genede
Suterich beitele seach yn moasbewoeksen hurdstien.

Hastich, lykas ik jim kend ha, wie safolle geduld net
Oan jim bestege. Trije kear sân jier hie ik jim ferlitten.
Hastich as altyd hat nimmen op myn weromkommen
Wachte. Thús is dêr't men weikomt. Dêr waard my in
Foarlân foarspegele dat grinzet oan dat fan jimmes.
Yn myn each wylje de blommekrânsen, de lepspegels,
Driigjend boppe de bieren, ophongen oan it baarhokssket.

Der is gjin ding wurden dat net wurden is. Dat ik tocht by
Mysels, no dan, win de wurden fan de Preker en besykje
It mei mei wille en genietsje fan it goede. It lot fan minske
En it lot fan it fee binne gelyk, krekt itselde lot treft beide.
Alles giet nei itselde plak; alles is út stof wurden en alles
keart ta stof werom. Gean de siken fan in minske nei boppen
En dy fan it fee nei ûnderen? Deadlingen, antwurdzje my!

FOAR DY'T BLEAUWEN

I

Manlju fan de Efterútlannen, Manes-jonges oarekant
De rivier en de Kouwen hoenear sille jim wer útride en
Bring de hynders skel op 'e azem oer it wetter? Of ride
Jim net wer út? Hûnsk ha jim de uterste barten bereizge,
En lizze jim no klûmsk foar de winige doar te hymjen?
It is alwer jierren lyn dat ik by jimmes wie en wy âld
En nij faninoar skaten as wetters út deselde boarne.

It stiet my noch altyd by as in grutte dei as jim weiden
Widzjend de reden delkamen en elk jim mei earbied
Neiseach om't jim it wiene dy't de simmer ynhellen
En har waarmte delflijden yn it koele tsjuster fan bewar.
Alles ferliest syn glâns mei it âlder wurden, mar it
Unthâld gnist de myte op dat eartiids alles better wie.
Want wy dy't ferlern ha, wy winne oan yn it ferlies.

Wy gniisden oant it ús yn 'e kiel heaze as kranten jim
Nammen neamden. Wa woe langer yn jim negerij
Ferkeare. Wat my noch heucht binne de fêste stjerren
Boppe it hûs dy't blonken as blyn sulver as wy it
Unoantaastber swart fan jim hege kapen bewûnderen.
En wa't ús yn 'e flecht ljochtjierren efterop kamen:
Boaden út it hjirneimels, boalen út 'e delling fan Hinnom.

II

Fan ûnheilsprofeten yn beweging brocht rekken
Wy los fan Fellingen, Miedein en de Marren – doe't
Guon fan ús om liifsbehâld en Kâlde Oarloch
Yn it bline fertrouwen fan Oseanen de godsfrucht
Feilich stelden en Jezus fêstigen yn fiere Kontininten
Om de Ivige Ieu te bewarjen fan har ûndergong –, wy
Soene proai wêze. Wy hearden in stim út Bazel sizzen:

Es ist an der Zeit, dasz der Anti-intellektualismus,
Der nun so lange in der Kirche regiert hat, endlich
Verschwinde. Wy tochten. Nee, ik tocht, want ik stie
Allinne en fielde de huver doe't stoomtram en stomboat
My omfierrens brochten en ik yslik tinne triedden
Ruts op libbenslange wenstigens. Foarlân? Hie ik
It foarlân net efter my litten? Ik woe feilich wêze

En snijde my in stôk om de ierde te slaan. As in
Hûn kroep ik yn myn nêst en foarme my in wrâld
Fol woede om fan myn ferlies te winnen, om te
Stjerren yn in deaberne dei. De wei nei it omfierrens
Is de wei nei hûs. Noarderbreedten folgjend stean
Ik wer by jimmes op it efterhiem. Kenst my noch, âlde
Dogeniet? Ik ha preaun fan de sân haadsûnden.

III

Wrâldseeën ha ik befearn. Myn dagen waarden tusken
Twa havens bemetten. Myn nachten tusken frjemde
Stêden. No't ik werom bin rûk ik oan museale geuren.
Lit in wurdestriid fan net te fersoenjen fielen troch my
Hinne gean. It stiel fan in banbliksem treft my yn it
Unthâld. From hifkje ik kleastermoppen en stek myn
Hân yn restaurearre nissen dy't de kultuer ús neiliet.

Ik ha de Sân Seeën befearn en de sân segels ferbrutsen
Dy't tagong joegen ta it geniet fan skientme en kwea.
Wat sil ik yn myn neidagen oars dwaan as it ûnthâld
Underfine en my mei wille tebinnenbringe hoe't de
Blommen fan it kwea welich wylje yn de amers fan
De goaden. De wei nei it omfierrens is de wei
Nei hûs. Wa't thúskomt siket wat ferlern gyng.

Swalkje ik novimbers troch jim kriten, jim binne der
Net. Jim kalme trekkers bealgje wûnen yn de ierde.
Kriezjend dûke seefûgels op de fruchtbere fuorre.
Stip op 'e kime en dan neat mear as myn gedachten
Oan jim en oan jim serebrale ideeën fan winnen en
Behâld. Keutelmaats gean nei jim donkere steeën,
Nei it flotte feroarjende libben dat oeral itselde is.

II

DE NESSER TREPPEN

By de Nesser Treppen
stie de dyk op trochbrekken. Wêr't
it yn siet dat it hjir sa nuodlik wie, is oan
de kadasterkaart fan krekt nei de floed fan 1825
noch te sjen: in hûs is hjir yn de dyk opboud,
of miskien krekter: de dyk om it hûs hinne
lein. Dat men it hjir tsjin it wetter
hâlde koe, hat wis de Donge-
radielen foar in ramp
bewarre.

KRINE BOELENS, NES IN DOARP YN 'E DONGERADIELEN

IT SIL WEZE

Wat wie it is der.
Oan it ferline is gjin ûntkommen.
Net út neat mar út neatigens bin ik wêzene.
Wat ferneatige waard it bliuwt yn my bewarre.
As aanst it hûs ôfbrutsen mei de muorren
Bleatlein ûnder de himel teneate giet,
As alles weromgiet nei fundearring en ferneatiging
En ik it lân ûntfearn sykje nei myn Atlantis,
It is wat it wie stof en wêzen.

Sjoch ik yn ferlitten nachten út oer it dreamde fjild
Fan de uterlannen, ik kin net sûnder de gedachte
Dat der in lân is iepen en keal;
In lân dat my droech nei de seekant.
Withoefaak oankommen en wer fuortgien, dream
Ik huzen weiwurden yn in see fan feriensuming.
Mei de tiid stapfoets efterop fyn ik doarren yn de
Werkenberens fan doetiids floeien en êbjen.
En as myn geast weromgiet nei ferlitten terpen en hôven:
Alles wat droech, draacht geslachten.
Fierten dy't ik seach binne yn tiid en ferbylding
Mear fierte wurden.

Wat moat ik yn dizze wrâld
Sûnder ferline, sûnder Efterlân, sûnder it ivige fan de see.
Ik soe gjin fragen ha dy't it bestean fan tel
Ta tel rjochtfeardigje. Mominten dy't
Leechstreame yn it ferjitten bestien te hawwen.
Wat moat ik sûnder stilte, sûnder driging,

Sûnder de ôfgrûn fan iensumens,
Sûnder de rop om help,
Sûnder in swijend hymjen nei leafde?

Alles wat ik bin wachtet yn 't ûnthâld,
Op wat ik my tebinnenbring.
Elke stap foarút heakket yn de foargeande.

DE NESSER TREPPEN

In dei net te witten in floed net te mjitten
Stean ik op it basalt ferankere en sjoch
Skippen stomdronken fan wyn en wetter
Havene myn each ûntsilend treastleas
Weiwurden oer de kym fan de lêste dingen.

Hoefier moat ik gean om te kommen
Dêr't ik wie de middeis dat de see it
Wetter meinaam nei frjemde kusten en
Myn ferwachtings êbjend besliken yn
't Unhâld om nea nea wer te ferjitten?

Heit tilde my op 'e stange fan de Gazelle.
Wy rieden troch it lân fan augustus
Tusken de nôten dêr't it rûkte nei tarre
En stientsjes fan de grintweinen fleurich
Muzykjend tinkelen yn de spatbuorden.

Hoe heech wiene de Nesser Treppen dy't
Wy oprûnen, klimmende treeën nei dat
Iene momint fan apoteoaze: De see! De see!
En noait werom te kinnen nei dat ferline,
En dêr te bliuwen, altyd bern, altyd lokkich.

ODYSSEE

It is lang lyn dat ik hjir west ha
Yn de ôfgroeven delling fan de terp.
De histoarje is hjir opromme mei de pream.

Heech boppe de buorren leit noch it hôf
Dêr't pake Durk en beppe Akke
Begroeven lizze ûnder de stiennen fear.

En heit en memme grêf tusken hage en tsjerke.
As ik nei ûnderen sjoch oer de greiden;
It skiep wurdt skeard, it laam slachte.

FERHALEN EN GJIN EIN

Se fertelden ús
It ferhaal dat ús werom brocht nei it hûs fan de deaden.
Want yn de orale tradysje wurdt altyd itselde
Ferhaal ferteld dat gjin ein hat mar alle kearen in
Nij begjin kriget. In ferhaal begjinne en mûnling
Ferfiere dêr wiene wy sterk yn. En alle kearen harken
Wy wer mei sân pear earen om't wy witte woene
Hoe't it ferhaal ta in ein brocht wurde soe. Mar it hie
Gjin ein en it soe net in ein krije seine de fertellers.
En wer harken wy as ús itselde ferhaal ferteld waard.
Want in ein betinke seine de fertellers soe betsjutte
It ferhaal is út. Us soe in ûnfersteanber swijen oerfalle.

Se fertelle ús,
Want it ferhaal hat noch gjin tekens, wa sil skriftleas
It ferhaal ta in ein bringe salang't de see nimt en
Wetter oanbringt? Salang't wy ark skerpje en bergje?
Salang't eleminten en machten ús fergje? It
Ferhaal dêr't wy nei harkje is de ûnbegryplike doele
Fan taal en fertellers dy't ferwûndere yn de
Tsjustere nokke fan it hûs flearmûzen sjogge dy't
Oan 'e poaten ophongen harkje nei ûnbegryplike
Klanken dy't in mytysk ferhaal begjinne dat net in
Ein kriget salang't wy binne en tekenleas wurden
Fertichtsje foar it ynderlike ear fan it folk dat mei
De earen fol stront de holle skoddet.

Se sille ús fertelle
Fan it hert fan de âlden dat him ta de bern ferklearje
Wol yn klanken dy't net ferstien wurde mar as
Tsjustere relikten de werkenberens drage fan in

Ferhaal dat yn hûnger en wroech om in ein siket.
Juster sizze se. Juster ha wy de lêste wurden heard
Ut de haperjende mûle fan in deade. Dy mûle
Sil ferdroegje eardat it ferhaal ta in ein kommen is.
En wy dy't wekke ha binne roppen ta dieden
Om it ferhaal ta in ein te bringen. Wy sille ferhalen
Fertelle dy't de mûle fan de deade ús neilitten
Hat as wazem fan in deade mûle op in spegel.
De beklomming dêr't nea in ein oan komt.

IT NOARDERLAN

Dit is myn lân. Hjir kom ik selden mear.
    Hjir rêst wat oerbleau yn ferstienning.
Om ta mysels te kommen ûntgroeide ik
    Myn oarsprong en myn jeugd.

Hjir stiene heit en pake-en-dy troch spegels
    Wetter te wrotten yn 'e blabber en
Liezen al wat ljocht en himel wie
    Yn de wjerspegeling dy't op 'e leppe bruts.

Mar wat ik sjoch is net it wiere wêzen.
    Kultuer hat hjir 't ûnthâld ferlern.
En om te sjen it jout gjin fierten mear mar
    Grinzen oan de leechten dy't ik ferlear.

Noait sil ik oan dit lân genêze om wat it
    Yn my bûgd en brutsen hat en foarme
Oan it wiere wêzen yn my bewarre as it
    Unthâld fan freugd en wat my narre.

Dit is myn lân. Hjir kom ik selden mear.
    De wierheid is hjir skiednis wurden.
Al 't oare is nij en gjin ferline dy't it draacht.
    Mei oantinkens oan earder jierren.

SKRIUWE

Wist ik wat eangst wie doe't ik
mei de finger tekens skreau op it
bewazeme rút? Ik dreau myn wil
nei 't wûnder fan ûntdekken.

Fan mem mochten wy net
op 'e ruten skriuwe. Dat liket
sa raar foar de bûtenwacht.
Mâl en gek toant syn gebrek.

Dus glied myn finger ûndersykjend
en griemend de ûnskuld temjitte.
Hiëroglifen dy't trienjend útrûnen
ta ûnlêsbere hoannepoaten?

Skrik en freugde dy't ik belibbe
doe't ik troch de tekens fierte en
djipte seach yn wat foarby kaam
oan it finster fan myn jeugd.

Ik seach hoe't tekens foarmen
droegen fan ynderlik en minsklik
wêzen. In poëzij bewalme yn glêzen
en skreaun yn 't wytste taffelslekken.

De dream bestoarn hat syn bestjerring
krige. In dichter moat de wierheid lige
en tosken toane fan de hûn dy't oan syn
fuotten leit: in wyt gebit dat driget.

Sûnt is it glês skjin en bedroege. Ik
sjoch hoe't eangst en iensumens yn
beboude seeën op my ta komme en
driigjend in werklikheid wjerspegelje.

OAN DE NESTOR

Ta gelegenheid fan de njoggentichste
jierdei fan Douwe Annes Tamminga

Mochten wy oan in takomst ferfalle
en dêr sjocht it wol nei út –,
mooglik sil der immen wêze dy't sizze kin:
Ik ha Douwe Tamminga de hân noch jûn
doe't er njoggentich waard.

En sjoch dan dy opteine eagen
dy't glimme fanwegens in feit dat seldsum wurden is.
In grut dichter ûnderfûn te hawwen
is it moaiste fan alle ûnderfining
as wy taaste yn it gemis.

Yn dy dagen sille der guon wêze dy't hiele stikken
fan dyn balladen út 'e holle kenne.
Miskien is der noch in famke dat in gedicht
foardraacht dat se fûn yn de Samle Fersen,
en dat se heakket by in inkeld wurd dat se net begrypt.

Wy meie it net útslute dat der op in dei
in sympoasium wijd wurdt oan dyn oeuvre
en dat in ôfstudearre jongkeardel him set ta
it skriuwen fan in proefskrift oer it fertellend
karakter yn de poëzij fan D. A. Tamminga.

Want ienris reitsje wy dy kwyt
oan it ryk fan de Nestoaren
en moatte wy dyn ferbylding rêde
út 'e kloeren fan de rede
en dy stoaie om te behâlden.

Der leit foarearst noch in fjild oan feiten tusken ús.
De wurden binne net allegearre brûkt
en der binne noch safolle takomsten
fan oere ta oere, fan dei ta dei.
Dêrom, do bist noch net fan ús ôf.

DICHTER FAN DE EARSTE OERE

Skreaun by it fjouwerhûndertste
bertejier fan Gybert Japicx

Sis feint, sljucht en rjucht as dy fan Boalsert,
Wêr wiesto mei dyn dolle holle doesto
Juffer Sibilla, dy hearlike dochter fan
Riedshear Van Jongstal, yn it seal holpst?
Dichter, wiesto fereale op har dy't blonk boppe
Tûz'nen út, as ienris yn Turnus' hear Camilla?
Woesto de Amazoon rêde fan Arruns pylk?
Miskien hiest dan in byltnis krige op in faas en ús
Heldhaftich oangappe út in fitrine fan it Museum.

Om't wy dyn fersen leavje, bewarje wy dyn byltnis
Yn skildering en karysk marmer. Ta ús foldwaning
Wjerstiesto waar en wyn op it Boalserter hôf. Sûnt
Lju fan wittenskip dyn wurk oermasteren bewarje wy,
Stille dichter, dyn Wurken yn linnenske bannen en
Wreidet dyn rom by dissertearjende wiisnoazen
Dy't, it wisse foar it ûnwisse, yn ûnderstellende
Essays en artikels skriuwe wat yn it ûnwisse bliuwt.

Do ridder sûnder hoars, do stille sjonger
Dy't ûnbegrepen fan befreone poëtasters
Deaknypt waard yn stille bewûndering. Of,
Dichter fan de earste oere, hast Zoïlus
Hannen en de tosken fan Momus freze,
Datst dyn poëzij opburchst yn kast en laden?
Of dreamdest fan wat gruts en waard it keal in mûs?
Wêrom hast de dea ôfwachte mei stilswijen?

Sûnder Ingelân, sûnder Oxfords Librije fan
Sir Thomas Bodley hiene wy dyn hân net weromfûn.
Hiest oars gjin fertroulingen as Franciscus Junius,
Dichter fan de earste oere? Of gyngst stil om
Lykas wittenskippers dogge? Of fûnst it folk
Dyn wurk net weardich? Och, wat hiest ek oan
De gritsen en gratsen fan in skiedkundich
Liddichgonger as Simon Abbes Gabbema.

Sit ik jûns te lêzen yn de Friesche Rymlerye
Dy't Samuel fan Haringhouck ús neiliet,
De fleisheak fan de skientme slacht yn my fêst.
Mei Visschers foarbyld komst de kritikasters al
Temjitte, do dichter fan de earste oere; beslachst
It mei de gek. Hoe soe ik my oerjaan oan útlitten
Geien. *'t Is ommers nolck to 't portte-feyen.*
Wie dat beskiedenens, ûnwissens of dyn wrek.
Dyn floed fan poëzij fynt yn myn hert syn êb.

DE TEMPERATUER FAN WURDEN

De temperatuer fan wurden,
is dêr in graadmeter foar?

Guon fine myn wurden te kâld
as ik blommen op 'e ruten skriuw.
Lokkich is der in sinne dêr't wy
beweechlike skaden fan meitsje.

Wy ha fjoer en izer om te hytsjen.
Mar ik nim de lêzer mei nei wêr't er nea
earder wie. Ik wol him it sniefjild sjen litte
dêr't ferealen har stappen efterlieten.

Yn poëzij lit ik in hert ferklomje
dat leafde freget waarm as bloed.
Soms lit myn hân in bern ferdomje
sa werklik as myn pinne it stjoert.

As de ferteller mei de finger in kâlde
klink lichtet, in doar nei de winter
iepenet, lit de lêzer de moffen oandwaan
en de waarmte fiele fan in hert.

Skriuw ik in hânfol kikkertsdril
ûnder in skyl skierroeksiis.
De kâlde skok fan it kût troch it
wetter is berte fan kâldbloedich libben.

Soms dichtsje ik haat dat broeit as hea.
Grûnwetter oan de boom bemetten
Soms slacht de iene de oare dea.
Soks leit yn 't minskehert besletten.

Sjoch ik in dier oandwaanlik yn 'e strûp
fan minsken nei de siken gapjen.
Even handich wol myn pinne it bist rêde.
Myn hân bestjoert in skreaune werklikheid.

REPLIKA

Der is bestek makke fan in
skip bewarre yn it ûnthâld.
Dêr meie wy op hoopje lykas
wy hoopje op 'e dei fan moarn.

Der wurdt socht nei hout
om it skip te bouwen dat
twa ieuwen lyn foer nei de
fiskgrûnen yn it noarden.

Der wurdt socht nei in beam
fan mear as twa ieuwen âld dêr't
it hout út snijd wurde kin foar
it skip dat yn it poaliis bleaun is.

De beam dêr't it skip út boud
wurde sil dat twahûndert jier lyn
net werom kaam fan Arktika
moat groeie nei de folsleinens.

It hout moat rypje eardat it brûkt
wurde kin om it skip te bouwen
dat foar twa ieuwen ûnder de kust
fan Grienlân yn it iis teknypte.

Hoefolle tiid ha wy noch om it
skip te bouwen dat twa ieuwen lyn
fuortgyng en net weromkaam út
it iis fan de noardlike seeën?

Wat dogge wy mei Grienlânfarders
lykas Tiete Louws en Oasing Loewerts
waans azem smoarde yn it iis? Replika's
wurde boud om oan lân te bliuwen.

It ûnferoarlike ûntstien út it
feroarlike sil gjin seeën befarre.
It sil gjin rouwimpel drage foar
wa't yn it iis bleaun binne.

AS TAKOMST IN LAN IS

Wat sil ik de tiid meijaan oan gedachten.
Leafde dy't waarmte bringt, tink ik my yn.
En wurden dy't tekoart sjitte.

As takomst in lân is, wol ik dêr wêze
En dêr myn tiid bringe as ferbliuw.
As in woartelsketten yllúzje

Sil ik de keamers behingje mei dreamen.
Mar gjin dreamen sûnder ferline.
En ik nim brieven mei dy't fêstlizze

Dat wy yn mienskip libbe ha,
Dy't sizze wa't wy yn it doe wiene.
Guon ark dat ik oant myn dea ta slipe

Bliuwt oan it sket hingjen.
Der is gjin ein oan myn twivel.
Tefolle om mei te nimmen.

Dochs kin ik har net misse, want twivel
Is in rivier dy't syn bêding folgjend
Troch ûnwisse lichten de see siket.

De tiid, hoefier sil ik mei har gean
En myn gedachten bringe yn it skaad fan
De see dy't brekt op takommend strân?

Hoefier?
Ik freegje mar
Hoefier

OFSKIE

De folsleinens fan de dea is
Fan in wûnderbaarlike
Skientme. Ferskriklik
Attribút bestive yn neiste.

De ûnbeweechlike krêft
Fan it ûnbeweechlike
Skrikt mei de krêft fan
Untsach it beweechlike ôf.

WJERLUD

As ús wurden echo's krigen
Antwurd op ús fragen wiene
Ut hokker djipten libben wy?

Ei, der giet gjin dei foarby
Dat wy net ússels beroppe en
Gjin antwurd komt nei boppen.

Wa't harket nei syn eigen lûd
Fynt gjin stimme wierder, moaier.
Gjin wierheid hat in gledder hûd.

Wat wjerkeatst is skyn en skovel
Dat wat komt út 'e ôfgrûn wei.
Lit it djiplead del en swij swij swij.

BEGEARTE

Myn begearen waard bestraft
Oant ik fan it libben walge.

Wat is moaier as begearte?
Hiel myn wêzen hong it oan.

Mocht ik dan net lutsen wurde,
Lutsen troch dy ûndertoan?

Dy't troch hiel myn wêzen song,
Toemar, nim, do bist noch jong.

Jong begeare, âld ferleare
Bliuwt my mar ien ding.

Leafde is it âldst begearen.
Jou my mar sa'n ringelding.

LAMPELJOCHT

By alles wat my troch it sin gyng sjoch ik
Hoe't it lampeljocht op 'e tafel skynt.
Wat hie ik mem graach holpen om it
Jûnsiten klear te meitsjen op it hokte kleed.

Op it breaplankje soe ik in skaalfol bôle snijd ha.
Itenspannen, ik soe se mei bestek útsette.
En dan it waarm drinken dat mem wazemjend
Fan fredigens tusken ús delsette soe.

Noch ienkear soe ik har oanreitsje as wy de
Hannen by fersin tagelyk nei itselde útstekke soene
En wy inoar noch ienkear oanrekken as doe't
wy fol foarnimmens wiene en fan alles soene

Wat ús troch it sin gien is.

SOMS

Soms wol it libben
Wat oersichtliks jaan.
Bygelyks op in middei
As ik út 'e fierte sjoch
Hoe't beammen mei
Tearens oer it hûs bûge.
Dat ik nachts dat byld
Weromfyn yn in dream
Grutter as de werklikheid.

GRINZEN

Dit binn' ús grinzen: paad en hagen,
De sleat, de beamwâl en de reed.
As wy jûns yn 't tsjuster eagje,
De fiere ljochten fel en wreed.

Us wrâld is lyts, ja hast noch lytser
As 't hiem dat swettet oan de wrâld.
Soms sjogge wy in stille fytser
Dy't earne by de buorlju hâldt.

Nei iten slute wy de blinen
En hâlde ús ferhalen by de hurd.
Der is op ierd' gjin plak te finen
Dêr't ús de frede neier wurdt.

Dit is de grins fan 't hert, it teare;
Al falle keen'gen dy te foet,
Do silst it fan de ienfâld leare
In sel te wêzen foar dyn bloed.

HJERSTDEI

De sinne is oer de hichte hinne.
  De neidei mei syn waarme gloed
Jout glâns oan 't libben, leavje hjoed
  De oeren dy't dy skonken binne.

De tiid ferskyt syn oeren net,
  Mar skylt minuten fan de skaden.
Bemjit it ljocht dêr't wy de paden
  Sykje oer 't ierdryk, ier en let.

Hasto de wierheid field, de leagen
  Dy't yn it wurd ferburgen leit?
It rjocht dat yn ús bûcht as reid?
  Witst wêr't de personaazjes teagen?

Winich fan geast silst nea genêze
  Fan wat it libben dy gebiedt.
Mar al wat dy foar eagen stiet,
  Lit it in boarne, in stipe wêze.

It libben mei syn twang en jok
  Driuwt ús ta nut en dieden.
Libben en dea binn' net te skieden.
  't Geniet leit foar de lêste snok.

DE MUOIKES

Op in koele jûn yn juny
Kamen de muoikes Vriezema del.
Bearntsje en Oarseltsje.
Snorrige âldfammen út 'e Weeslannen.
De kroaskleurige huodsjes
As kuorkes op 'e holle.

Dêr stiene se nuet en keken
Mei de fytsen yn 'e blikke.
Yn 'e keamer sieten se mei steile
Rêgen dy't it bekling net roerden
Tsjin it dekor fan it bedsket;
Toaniel fan de famylje.

Snibbige teaperts.
Altyd yn oarloch mei de sede.
By it flagjen fan in rôk
Fearren se stutsen oerein.
Stiene foar it finster te wizen.
Pikten mei de neils tsjin it glês.

Fel as ravens.

Der giet neat mear foarby.
    De ierde stiet stil liket wol.
Ik tink dat ik der bin.
    Dit is myn holle net.
De stoel wol net mear kreakje.
    It bêd leit stil as snie.

It is lang lyn dat de suster
    Ut 'e Bibel lies fan 'e Salvling.
Us beppe koe by tsjuster waar
    Sa geitich út it ear rûke.
Dat ik dêr no oan tinke moat.

Net fier fan dit plak
    Wurdt in grêf stutsen
No't it mes fan de winter
    De ynhouten keept.

Om my hinne wurdt de stilte
    Sa grut as in seale,
Dat ik sjoch skreken om.

Ik trilje.
    In emoasje tink.

Twivel.

MEI FREDE LITTE

Myn ferbylding in prachtich neat yn de sniewinter.
Boppe de pannen fan it hûs it himelleaze swart
Dat flearmûzen stjoert nei de bewenning.
Yn it hurde tsjuster lis ik weak en waarm tsjin myn
Broer. Frede en wolfeart hat ús makke ta nuete
Fynpriuwers, leafhawwers fan Russyske en
Latynsk-Amerikaanske literatuer dy't dijt as in
Keunstige ferbylding fan it lijen. De fauna fan ingels
Feilich efter it gaas sjongt frede. Yn myn dreamen
Hingje ús mem en de beide susters sa jeugdich
Portrettearre oan it sket fan de beitste keamer.
Op it hiem sjoch ik de loft skjinwaaid boppe see.
Hjir stean ik rêstich tusken jonge elzen, keale
Tûken my tastutsen út 'e ierde sille aanst myn
Hagen wêze. De siken as wolkjes op 'e tosken,
Op in winterjûn bygelyks stil en oatmoedich as
Tekens dy't de wrâld plezier dogge. It skiep wurdt
Skeard, it laam wurdt slachte foar de opiters. Wy
Sette hûnen by it grêf oant wy genêze fan it sykheljen.

III

OANSWETTEND

MAMKE

Lit ik har Mamke neame,
dat smelle skrutene
lampeglês dat glom fan
stille ferwûndering
doe't se my yn 'e hjerst
twa hânfol blombollen brocht,
neaken peld mei it bleatleine
gefoel fan tagedienens.

Ik kleure by it fielen fan
har kâlde hannen en
skamme my doe't se fertwivele
nei my glimke.
Hie ik leafde sein tsjin de
spegels, my har gesicht ynpalme?
Fûgels hipten oer de kluten doe't ik
de bollen yn 'e grûn treau.

Doe't der snie foel wie har hert
in gehucht om yn te wenjen.
Underweis seach ik har azem
walmjen yn in flymskerpe wyn.
It wie winter doe't ik pupillen
tadiek yn de eachkassen ierde.
Oantinkens en langsten sochten
spranteljend de fruchtberens.

Dy lange winter wenne har
boarstleas lichem yn myn langsten.
Mei lusten hâlde myn geast
har yn stân. Oant op 'e dei

it plantaardich bewâld de
kop opstiek. Teare griene
flachjes dy't troch de
kluten omheech wrotten.

In stâle dy't in flaggestôk
waard, in wimpel útrôle. Bloei
brocht my in bleatlein gefoel
fan tagedienens yn 't sin.
Ferfleine waarmte bestjurre yn
hertstochtlik bloeien.
Utbloeid oerfoel my skamte
en in koartsige kjeld.

BEAMMEN

En God de Heare liet allegearre beammen út 'e grûn opsjitte, begearlik om nei te sjen en goed om fan te iten. De libbensbeam stie midden yn it hôf en ek de beam om te witten fan goed en kwea.

It boek Genesis

Oant let klonk de slach fan de bile. Seagen
Raanden troch it hout. Kealslach yn Eden.
Jûns sochten de arbeiders ferkuolling en skaad
By de rivieren en brochten it lân yn kaart.

Sa is it ieuwen gien. Wy bouden oan de
Skiednis fan it ferfal. De ierde skatplichtich
Oan it skepsel bouden wy fan beammen timpels.
Foar de goaden baarnden wy himelfjurren.

De minske dreamend fan tunen en terrassen
Hat de ierde wreedaardich de oarloch ferklearre.
Deadlike wapens dy't de wangen fan it healrûn
Skeare as it wang fan in wrantelige âlde man.

Lânmjitters fan it Jûnlân binne wy wurden.
Mei pas en krús en ketting ha wy de wrâld
Opmetten. Wy ha de lineaal útfûn en de sekstant
Om de ierde nuet en ûnder de kwint te krijen.

Om't langst en hûnger yn ús net dea te krijen binne,
Wolle wy werom nei de natuer. Wy stichtsje in paradys
Yn de wyldernis. Meitsje ekologyske haadstruktueren.
En skeppe trijediminsjonaal natuer op tekentafels.

TASPRAAK

Oanwêzigen,
Skamje jim net,
Ik sil my stadich útklaaie.
Myn bleat is myn wurd.
Myn leagen myn gedachten,
Myn swijen myn wrok.
Sjoch ik stean foar jimme
Klaaid mei neakenens

Om my bekend te meitsjen
Stean ik frij fan tafersjoch
My stadich út te klaaien
Foar jimme neakenen
Klaaid yn wurden fan ferwar
Yn ûnderwurpenens
Bin ik dy't ik wie
Klaaid mei neakenens

DE LESTE MELKKO

I

It folk ferkringt har foar de doarren
As yn it museum in swartbûnte stamboek melkko
Slachte wurdt. Troch in glês-yn-lead finster sjoch ik
Hoe't it bist foar syn moardner laat de deakap kriget.
Kringend folk wol sjen hoe't de filder it bist mei it
Mes om hals bringt. Ik sjoch libben bloed walmjend
It goud fan de roubuorden bespatten, hoe't bloed
Fuortlekt tusken artefakten, tusken de bluisterige
Skiednis fan Skier en Fet en de bannen fan de
Adelsboeken. Earnen opflein fan 'e famyljewapens
Neskje bang yn 'e balken. Tusken ferdroege alters
Dy't toarstgje nei it bloed fan martlers stean de
Boatsen fan de woarstmakkers om de terms te heinen.
Argivaris, konservators en sealwachten springe kjel
Fansiden as heroën de hûd oan 'e muorre heakje fan de
Lêste melkko. Ta oantinken wurde stof en môge siedde
En de jiertallen – samle út 'e boeken fan Suffridus,
Furmerius, Winsemius en Gabbema – ferbaarnd.
Troch glês-yn-lead sjoch ik hoe't de skiednis
Bewapene mei tosken en ridderlike swurden om har
Hinne grypt en myn each tebrizelet ta stof stof stof.
Net mear as jiske bliuwt deroer.

II

It folk ferkringt har foar de doarren
As boeren yn opstân komme tsjin behâlders en
Samlers fan safolle deade dingen. Wraak roppend
Reagje se it folk fan kant, springe by de doarren op,
Kringe hysjend en húnjend nei de museumromten
Dêr't se mei al ieuwen ta frede kommen swurden
Alles koart en klien huffe. Ferstille sjogge de ieuwen
Fan skilderijen yn djipten fan minsklik mjitten.
Opstiene slachfjilden komme ta libben. Flaggen
En sjerpen heine in striel sinne as it stiel troch
It linnen reept en in legerienheid yn twaen spâlt.
Dea bloed kleeft oan de flierren as grime boeren
Leastkjend dieders sykje fan de skiednis dy't by
Gebrek oan ivich libben har yn it tsjuster ferskûlen.
De kelders. In geduld kwekende ivichheid hat har
Ferpleatst nei de kelders fan it ûnhâld. Hjir lizze
Ferstienne ekskreminten fan in Tsjongerkultuer te
Hurdzjen ta diamant. Hjir te sykjen hat gjin sin,
Hjir is gjin libben mooglik. Mar de boeren sykje
Wraak en rjocht, skriuwe in skiednis om te oerlibjen
Yn annalen stamboeken en stanbylden. Klompen
En skuon bewâdzje de museale flierren mei it
Bloed fan de lêste swartbûnte melkko Bontsje IV.
Net mear as jiske bliuwt deroer.

IT PAAD DAT WY LEAFHAWWE

Jûns as it tsjuster de beammen fertichtet
Rinne wy wer it âlde paad dat wy leafhawwe.
Altyd werom nei it wide tebek mei ljochte plakken
Yn 'e grûn en in moanne stilsteand boppe it wetter.

Dan binne de wurden al sein en stilte bestivet
Yn sulverblanke dobben. Wetterspjelden stekke
It ljocht fêst ûnder de beammen. En wy, wy
Stean te harkjen nei stimmen út it ferline.

Wat west hat is foarby oan ús each oan ús ear.
Mar loslitte kinne wy it net, wat neier wy komme
Ta it ivige momint fan de brek.

Noch ienkear ljochtet it op foar ús eagen.
En wat ferienet ta skrikbyld:
It skaad dat sykjend foar ús oprint.

TWA KWATRINEN

I

De Skrift seit wis en wrachtich
De fjilden binne wyt
De arbeiders minmachtich
Dat freget flyt.

II

'k Sjoch Fryske dichters dwalen
Troch fjilden fan fertriet.
En skriuwers fan ferhalen
Itselde liet.

DE SARK

Ik hear in âlde stim yn my brevierjen.
’t Is winter en it lûd is hoar.
Wat hat dy stim oan my te iepenbierjen?
Wat hat dy stimme mei my foar?

Wy ha in sark as stoepstien foar de doar.
In grêfstien fan in frou dy’t 1811 stoar.
Of fan in man, of miskien fan in oar.
Want fan de namme ûntbrekt elk spoar.

Dy namme gyng mei slytske foet teloar.
Mar yn my hear ’k in stim brevierjen.
Wy ha in sark as stoepstien foar de doar.
Wat hat dy stim oan my te iepenbierjen?

’t Is winter en it lûd is hoar.
Wat hat dy stimme mei my foar?

IEPEN

Dy't fan syn hert syn hûs makket,
Him leafde en geniet dreamt
Ut eangst om ferlies,
Wanhope sil him beslûpe.
Hy sil wenje yn in blyn hûs.

De wierheid wol syn ljocht skine litte
Foar wa't ferlieze doar.
De útkomst fan de dream is de werklikheid
Dy't as in strange hearsker
Oan ús syn wil opleit.

DE FEART

De jierren fan myn libben, binn' der fetter?
Ik ha se koarte mei in warbre kloer.
Wer bannich omsjend rint it my út 't roer
En stjerren skampe as katfisk yn it wetter.

Mei hannen bûn sko ik myn hoop op letter
De kerte langsten dôvje wer it fjoer.
Strak sil it heve, ideaal bliuwt oer.
It libben jout gjin lins, 't is fluch as wetter.

Wat is it libben mear as drilkjend driuwe
Bylâns it flotgjers mei mar amper sok,
Of heechút mei de bealch derop flink triuwe.

Ik ha gjin útsicht hân op ûnk of lok.
Slim bochtsjend moast de rûte ûnwis bliuwe.
Mar hjoed of moarn leit oan 't lânfêst myn bok.

DE BREK

Aanst komt de winter oan; wy moatte skiede.
Wa kin yn 't uterste momint ús riede?
In ljochtglâns flimert op 'e brek.
Al wat ús bynt, it sil ferbliede.

Al wêrsto wiest, ik wie der ek.
Wy sliepten ûnder ien en 't selde tek.
Us grêf soe wêze yn deselde ierde
Mei djipper en mei lichter stek.

De djipste langst fan 't minskehert
Is net dy fan 't begearen mar ferlet;
De leafde sichtber yn ús dieden.

Wa kin as bline noch de blinen liede?
De kjeld dy't ús bestean fertret.
Dyn hert dat yn myn herte stjert.

DE TAKOMST IS FOARBY

Wy dreame ús wrâlden dy't bestiene.
Wy dreame ús libbens lang ferlyn.
Wy dreame ús dieden dy't wy diene
En tochten ús in takomst yn.

De takomst is foarby, wy dreame
Wat west hat as in fiere dream.
Wy sjogge om ús hinne en neame
Wat ús foarby dreau op 'e stream.

MYN HUN IS DEA

Myn hûn is dea.
Wa slikket no jûns myn itenspanne skjin?
Wa timpert myn woede oer de wrâld?

Soms streaket myn hân de kâlde hoale.
De belicheming fan syn leafde
Mei hûd en hier.

JANNUM

Dat is de nâle fan de ierde.
In flechtplak yn in see fan grien.
Hjir wachtsje hilligen yn stien.
Hjir moat de Kristus bliede.

De hagioskoop, it deadeljocht,
De finsters dy't romaansk har bôgje,
Beskine 't alter, der foltôgje
Har himeljeften om 'e nocht.

Hoe fier is hjir de wrâld, en dêr
It lûd fan skries en ljip en ljurk.
Hjir rêst it midsieusk byldhouwurk.
Wijde stiennen: musée lapidaire.

NEA MAKKE REIS

Mei de trein nei Genève is in dream
Dy't ik yn libben hâld mei thús te bliuwen.

Wat ha ik dat faak út west as yn 'e
Dream tsjillen slipen op 'e rails.

Safolle lânskippen gyngen oan my foarby.
Efter myn hagen wie in keninkryk fan stjerren.

'k Ha seeën sjoen, en by in freon
Hifke ik in skidel fûn yn de Karpaten.

Tusken myn hagen hechtet hedera.
Boppe it hûs glimket Hesperus.

Langst nei fierten is langst nei hûs.
Dy't reizget keart werom en siket.

FOARFLOED

De nacht hat tosken yn 'e bek
En yn 'e feart sljurkje de skossen.
In godsbyld stiet him ôf te rossen;
De sûndefal in kâldswart wek.

It folk sil mei de dea te hossen,
Elk tjirget him hjir as in gek.
De sûndebok opjage yn 'e drek
Ut liifsbehâld wol er wol drosse.

Mar hokker stôk of stien dan ek,
De dieders ha neat ôf te lossen
Of dogg' de minske ûnderstek.

De minskewil leit yn it brosse
bêd fan eigenikkich brek;
Elk wol oerwinne en ferlosse.

IN WUNE YN IT HERT FAN DE IERDE

Dit hûs wurdt
Ofbrutsen.
Neat sil it sicht mear
Behinderje.
In iepen romte
Mei alle maitiids
Snieblomkes yn 'e flanken.

Dit is myn hûs
Dat ôfbrutsen wurdt.
Dit is de grûn
Dêr't ik my op fêstset ha.
Dit is it djipste fan myn wêzen
Bekeldere yn in kalkstiennen
Fundearring.

Al wat ik tadutsen ha
Sil oan it ljocht brocht wurde.
In wûne sil ik neilitte
Yn it hert fan de ierde.
In tear rouflues wurdt
Fan de nacht bedouwe.

Dit hat west. De flesken ieu.
Weirotte yn it deadelân.
En wat wy hearden en seagen
It sil mei de rivieren
Streame nei de hichten.
Ljocht hat ús fette.

OUTCAST

I

Foarsafier't men in byld
fan ús hat, it leit
bûten tiid en tiding.
De folksmûle, it meast
gapske wurdboek,
leit ús op 'e drompel
fan de ferdomden.
Wat dêroan folget hat
ús de moaiste nammen jûn:
dakleazen, strjitrotten,
nimmennetten. Wy
hawwe altyd west dy't wy
wiene; gedaanten yn
de wjerspegeling fan
oarmans fermoedens.

II

It ljocht liicht net en
gedachten binne bûchsum
as read koper.
Wy bûge ús nei de werklikheid
as de hûn nei syn fretten.
Us hân nimt net.
Us hân fynt.
Nimmen sjocht ús.
Nimmen wit fan ús wegen.
Wy krûpe.
Elk rûkt de hoalen en rioelen
dêr't wy de nacht trochbringe
ûnder karton en teknûkere
krantenijs dat de oerfloed
achtleas efterliet.

III

Us waarmte is kjeld. Us
gewisse it tsjindiel fan
de publike ûnderstellings.
De nacht,
in sigerich stasjon,
bewarret in seldsume
stilte mei metalen kommando's.
Wurch mar wekker begjint
ús dei mei in sigaret,
in slok oerbleaun yn 'e flesse
fan in foarich libben.
En dan de tôch fan it lichem
nei de automaat.
De sosjale jildfretter dy't
gastfrij gûchelt.

IV

De stêd in gesicht.
Middeis leist needlottich
op it Finansjeel Deiblêd
yn it park te sliepen.
Jûns tinkst dat immen dyn
freon is, om't er dy
om in sigaret freget.
Lit nimmen sjen datst jild hast.
Wa't jild hat hat freonen.
Eangst driuwt dy as in fantoom
troch it tsjuster.
De wierheid seurt net.
Do hast alles en neat.
Dyn hân, trochsliten fan
lytsjild, bevet earm mar frij.

V

Draachst dyn hert op it plak
dêr't in oar syn thús wit.
As in swarte fûgel hipst
oer it hiem fan de wetjouwer.
Der is gjin ein oan dyn doel.
Dyn fuotten kenne gjin stilstân.
Triljend sikest nei skealike
úthoeken; it skaad fan
stegen, brêgen, fiadukten.
Gjin heroïnehoer dy't dy hyndert.
Dyn gewisse fielt as in
waarme tonge oan it beferzen
izer fan in doarsklink.
Alle dagen komst de
freonlikens fan de dea temjitte.

VI

Do komst net lykas miggen
op it ljocht ôf.
Ljocht soe dy skroeie.
Mijst spegels op iepenbiere
toiletten om net te sjen
wa'st wiest. Dyn lichem
tilt de sûchkrêft fan de ierde;
Flitich trochrûne fuotten yn
beblette skuon. Ynstinkt hâldt dy
yn beweging. Rinne rinne rinne...
Hormoanfantasyen bestjoere
dyn libben. Gjin fjoer sil dy
baarne, gjin grêf dy bedjipje.
In kâlde noardewyn blaast
rouwich nei dyn fynplak.

NACHT

De donk're nacht ferdampt yn wolken
Ik wuolje my yn 't lekken fêst.
Ik lis, ik dream, ik skok, ik rêst.
De ribben op in bêd fan dolken.

De ribben op in bêd fan dolken.
Ik lis, ik dream, ik skok, ik rêst.
Ik wuolje my yn 't lekken fêst.
De donk're nacht ferdampt yn wolken.

HERTSEAR

Dy âlde snaar kin sa gefoelich neitrilje
Yn in fan leafde teskuord hert.
Sjoch dat helpleaze wêzen
Oan harsels oerlitten triljend
As in juffershûn op in droege krante.
Wy strike de sello allegro moderato.

Troch triennen lêze wy it deiblêd
Dat knistert en knûkert yn har eagen.
Want wrâlden binne teloar gien
En blinens hat de bril opset
Oant ferskuorde senuwen
Losbliede fan ier en syn.

OPERAASJE

De narkotiseur yn maitiidsgrien
Ynjektearret yn myn ynfús
In beslein rút
Ik fal yn it fielen
Hieltyd wider fierten
Dêr't lawaai yn weistjert
Porteal fan de dea

Yn myn wekker wurden
Heakket in swinktsjel
Fan de brankaar
Mei mokerslaggen wurd ik oer
De drompel fan it libben brocht.

PINE IS IN LIBBENSTEKEN

Pine is in libbensteken.
In flagge yn 'e stoarm.
In bist dat dy nei de strôt fljocht.

Se is net meilydsum
En soarchsum as de memmen,
Mar wreed as de boal.

Yn dy wredens ken se dy.
Se lit dy fiele wa'st biste
En leit dy dyn ûnderfining op.

Mei it geduld fan in hûn
Lit se har yn it Latyn beneame
En treaste mei offers.

Besykje net ta har troch te kringen.
Sjoch hoe't se winich it gjers streaket
Eardat it meand wurdt.

Do silst it begryp net omfiemje
Dat har befettet foar it takommende
En de eangst sil dy net drage kinne.

Mar wat strielet se in wysheid út
Dy't har hechtet yn dyn ynsichten
En de dagen dy't deroan stean te kommen.

As de skrinkel by it flym komt haatsje har net.
It libben is te grut om te trochgrûnjen.
De seine meant al ús wierheden.

YNHALD

I

DE LANMJITTER

II

DE NESSER TREPPEN

III

OANSWETTEND

KOLOFON

De fersen
yn dizze bondel
binne foar in lyts part
skreaun yn de tachtiger en
njoggentiger jierren fan de xxste
ieu. De oaren yn neisimmer en hjerst
fan 2002. Omslach en typografyske
fersoarging fan de auteur. Setwurk
Bornmeer dtp Wanswert.
Printe by Koninklijke
Wöhrmann
Zutphen.

De earste
21 eksimplaren
binne troch de auteur
mei de hân nûmere.